Les singes d'une nuit d'été

ROMAN POLICIER

VINCENT REMÈDE

MONDES EN **VF** .

LA COLLECTION MONDES EN VF

Des œuvres littéraires contemporaines d'auteurs francophones

www.**mondes**en**vf**.com

Un site avec des ressources gratuites à télécharger

Le site *Mondes en VF* vous accompagne pas à pas pour enseigner la littérature en classe de FLE grâce à des fiches pédagogiques.

 Téléchargez gratuitement
la version audio MP3 du livre

Dans la collection Mondes en VF

À PROPOS DE L'AUTEUR

Vincent Remède est un auteur français. Il est né en 1967 à Paris de parents eux-mêmes parisiens (ce n'est le cas que d'un habitant de la capitale sur vingt!). Il adore sillonner la ville à pied en tous sens et n'a jamais souhaité vivre ailleurs. Malgré tout, il éprouve souvent le besoin de se perdre dans d'autres grandes métropoles et on peut le croiser à New York, Londres, San Francisco ou Barcelone. Par ailleurs, c'est un passionné de plongée et il n'est pas non plus impossible de le rencontrer sous les océans.

Enfin, depuis plus de vingt ans, il parcourt également régulièrement l'Afrique francophone pour mener diverses activités éditoriales.

Prologue

12 août 2018, Paris

Le championnat de France de football commence ce soir. Mais on sait déjà qui sera champion, neuf mois plus tard : le club du Paris Saint-Germain avec ses stars payées des millions d'euros.

C'est une belle soirée d'été. Le PSG joue contre le club du SRB[1] qui représente une petite ville française sans intérêt pour les investisseurs[2] internationaux. Les joueurs du SRB sont mal payés et touchent très peu le ballon. Pendant tout le match, ils regardent les artistes sud-américains, allemands et italiens du PSG jouer et marquer trois jolis buts. 3-0, c'est le score final.

---

1. SRB : *abréviation d'une équipe de football imaginaire.*
2. investisseur (n.m.) : *personne qui met de l'argent dans un projet.*

Il est onze heures quand les 50 000 spectateurs sortent du Parc des Princes[3]. Des dizaines de supporters[4] du SRB marchent vers leurs bus, à quelques centaines de mètres du stade. Ils sont tristes et certains sont très énervés par le mauvais match de leur équipe. Il y a beaucoup de policiers près du stade mais pas dans cette petite rue sombre.

À quelques dizaines de mètres, un supporter du PSG, avec le tee-shirt, l'écharpe et le bonnet du club, court bien trop vite pour fêter la victoire de son équipe. Il fuit. Il semble avoir un problème… mais aucun monstre ou chien méchant ne court derrière lui. Et il est surtout trop près des supporters du SRB.

Une dizaine de personnes avec des maillots du SRB l'empêche de passer. Presque une équipe de foot. Dix contre un, on se sent plus fort. On est surtout moins intelligent. En plus, le supporter parisien est tout petit. Il a la taille d'un enfant de dix ans mais c'est bien un adulte. Il s'arrête de courir face aux supporters du SRB qui ont des maillots rouges et bleus, bizarrement les mêmes couleurs que celles du PSG.

---

3. Parc des Princes (n.m.) : *stade où joue le PSG.*
4. supporter (n.m.) : *ici, personne qui aime une équipe de foot.*

Le supporter parisien respire très très vite. Il ressemble à un petit animal poursuivi par des chasseurs. Il n'est pas assez grand et musclé pour résister aux chasseurs du SRB. Il fait des grands gestes avec ses bras. Il veut parler mais il a trop couru. Il respire trop vite. Il a peur mais il ne peut pas crier.

Les supporters du SRB se rapprochent de lui, dangereusement. Un jeune d'une vingtaine d'années, plus énervé que les autres par le score de 3-0, vient se coller au supporter du PSG. Il crie :

– Il était nul ce match, tu ne penses pas ?

Le petit supporter du PSG n'a pas le temps de répondre. Le supporter du SRB lui donne un violent coup de pied dans les jambes et le fait tomber. Et ici, il n'y a pas de douce herbe verte comme au Parc des Princes. On entend un bruit bizarre, peut-être le bruit d'un bras qui se casse sur le sol.

Quatre ou cinq autres supporters du SRB deviennent soudain fous. Ils se jettent sur le petit homme à terre. Et c'est une terrible série de coups de pied. Le supporter du PSG est devenu un ballon sur lequel les supporters déçus tapent, tapent et tapent encore. La pauvre victime essaie de se protéger la tête. Quelques dizaines de secondes de folie et de brutalité. Le sang commence à couler.

Soudain, une supportrice du SRB arrive en courant pour stopper ce qui ressemble à une mise à mort. Elle hurle d'une voix aiguë et se jette sur les supporters du SRB. Son action semble remettre un peu d'intelligence dans la tête des agresseurs. Une deuxième supportrice se place devant le supporter du PSG pour le protéger. Mais l'homme ne bouge plus du tout.

La police arrive quelques minutes plus tard, trop tard. Les supporters du SRB sont tous partis en courant. Des caméras de surveillance ont peut-être filmé l'agression[5] mais il fait nuit. Comment faire la différence entre un supporter rouge et bleu et un autre supporter rouge et bleu ?

---

5. agression (n.f.) : *attaque violente.*

Premier jour

13 août 2018, Paris, 8 h 36

Le lieutenant de police Oscar Tenon n'aime pas se lever tôt mais il n'y a pas d'heure pour trouver des cadavres[6]. Ce matin, un collègue policier l'a réveillé à 7 h 32 pour lui annoncer la mort d'un supporter du PSG.

Oscar Tenon n'est pas de bonne humeur. Il n'aime pas le football et encore moins les supporters qui font du bruit et se battent avant, pendant ou après les matchs. Mais pour lui, commencer une enquête criminelle[7], c'est comme débuter la lecture d'un bon roman. C'est un grand plaisir. Peu importe qui est la victime.

---

6. cadavre (n.m.) : *un mort.*
7. enquête criminelle (n.f.) : *investigation de la police.*

Il arrive lentement sur sa vieille mobylette[8] orange des années 70 et se gare entre deux voitures de police, à une centaine de mètres du Parc des Princes, dans le sud-ouest de Paris. Été comme hiver, Oscar Tenon porte un costume noir et une cravate noire. Mince, les épaules étroites, il n'est pas très impressionnant. Il ne mesure que 1,705 mètre. Il est très fier de ces cinq millimètres.

Sa maman, qui n'est pas très grande, lui a toujours dit : « Tout ce qui est petit est joli... et gentil. » Il a le look d'un Beatles des années 64-65, avec le même brushing que Paul McCartney ou Ringo Starr. Il ressemble plus à un adolescent qu'à un flic[9] mais c'est un grand professionnel de trente-huit ans. À la brigade criminelle[10] de Paris, tout le monde connaît Oscar Tenon. Et tout le monde sait qu'il a résolu de nombreuses affaires, qu'il a arrêté de dangereux criminels.

Tôt ce matin, le gardien d'un immeuble tout près du Parc des Princes a découvert le corps d'un homme dans une cour. Un homme jeune, très grand, d'environ 1,90 mètre, habillé avec un tee-shirt, une écharpe et une casquette du Paris Saint-Germain.

---

8. mobylette (n.f.) : *célèbre marque française de petites motos.*
9. flic (n.m.), (fam.) : *policier.*
10. brigade criminelle (n.f.) : *service de police qui s'occupe des crimes.*

Un fan du club sans doute, mais que venait-il faire dans cet immeuble ? Et surtout comment est-il mort ? Le gardien est sûr que cet homme n'est pas un habitant de l'immeuble.

Personne n'a rien entendu. Le jeune homme semble être tombé d'une fenêtre ou du toit[11]. Ses bras et ses jambes ont une forme étrange, cassés en plusieurs morceaux. Il y a du sang partout autour de lui mais il a eu le temps de sécher. Ses yeux gris sont grands ouverts et pointent vers le ciel.

Une dizaine de policiers bouge dans tous les sens, comme si un assassin était encore dans l'immeuble. Ils font surtout ce qu'on appelle une enquête de voisinage[12], à la recherche de témoignages[13] pour comprendre ce qu'il s'est passé la nuit dernière. Mais au mois d'août, à Paris, beaucoup de Parisiens sont en vacances. Il y a peu de monde dans l'immeuble.

Le lieutenant Oscar Tenon s'approche du cadavre. Un policier est en train de prendre des photos du corps. Un médecin légiste[14] en blouse blanche remplit un papier pour officiellement

---

11. toit (n.m.) : *la partie haute de l'immeuble.*
12. enquête de voisinage (n.f.) : *on interroge tous les voisins du quartier.*
13. témoignage (n.m.) : *dire ce qu'on a vu ou entendu.*
14. médecin légiste (n.m.) : *médecin spécialisé dans l'étude des cadavres.*

reconnaître la mort. Oscar Tenon lui demande d'une voix grave :

— Pouvez-vous dire précisément quand est mort cet homme ?

— Depuis une dizaine d'heures, maximum.

Oscar Tenon observe sa montre et lance :

— Donc vers dix ou onze heures hier soir. J'imagine que tous les gens de l'immeuble n'étaient pas encore couchés. Bizarre, personne n'a appelé la police hier soir… Vous avez d'autres informations à me communiquer ? demande-t-il au médecin.

— Vu[15] sa position et l'état du corps, je pense que cet homme est tombé d'au moins une quinzaine de mètres, donc du toit de l'immeuble, pas d'un appartement.

Le lieutenant de police lève la tête pour observer l'immeuble de cinq étages. C'est un bâtiment en briques rouges du début du xxe siècle qui forme un U autour de la cour. À chaque étage, le policier compte huit fenêtres et un balcon. Autant d'endroits d'où on a pu assister à la mort de ce fan du PSG. Mais personne n'a rien vu, personne n'a rien entendu…

---

15. vu : *en regardant la position du corps.*

Oscar Tenon demande à un policier en uniforme[16] :

– Où est le gardien de l'immeuble qui a découvert le corps ? Je voudrais lui parler.

Le policier guide un petit homme d'une soixantaine d'années vers Oscar Tenon. Face à tous ces policiers, l'homme est impressionné. Ses mains tremblent et il n'ose pas regarder les gens dans les yeux. Il s'appelle Max Sacco. Il a des cheveux gris dans tous les sens et un regard triste.

Oscar Tenon s'approche tout près de lui et demande ironiquement[17] :

– Les habitants de l'immeuble sont-ils tous sourds et aveugles ?

– Euh, non… répond le gardien d'une toute petite voix. Hier, il y avait un match au Parc des Princes… Il y a toujours beaucoup de bruit dans le quartier les soirs de match. Et puis beaucoup de gens sont encore en vacances…

– Et vous, vous n'avez rien entendu non plus hier soir ? Vous ne semblez pas être sourd.

---

16. en uniforme (expr.) : *habillé avec les vêtements obligatoires des policiers.*
17. ironiquement (adv.) : *ici, se moquer.*

– Les fenêtres de mon appartement sont sur la rue… Et hier soir, je regardais le match à la télévision.

– Vous n'avez jamais vu ce monsieur ? demande Oscar Tenon en montrant le cadavre du doigt.

Mais avec le sang et les blessures sur le visage, il est bien difficile de reconnaître quelqu'un. Pourtant, le gardien fait un timide signe négatif de la tête.

– C'est étrange. Nous sommes en été et toutes les fenêtres sont fermées… s'interroge Oscar Tenon.

– Au premier étage, il n'y a personne. Au quatrième et au cinquième étages, les gens sont aussi en vacances.

Un policier en uniforme s'approche alors d'Oscar Tenon et lui dit à l'oreille :

– Nous avons retrouvé un téléphone portable sur le cadavre mais il s'est cassé pendant la chute. Je ne sais pas si les informaticiens pourront le faire fonctionner. Sinon, l'homme n'avait pas de papiers d'identité sur lui…

– Mmmh, ce cadavre est donc totalement inconnu, dit Oscar Tenon.

Un autre policier en uniforme s'approche de lui :

– Je ne sais pas si ça a un rapport avec notre affaire… Des collègues viennent de me donner une information importante. Un autre supporter du

PSG a été agressé[18] hier soir après le match, dans une rue pas très loin d'ici. Il est à l'hôpital, dans le coma. Il est gravement blessé. On ne sait pas s'il va survivre.

— Eh bien, en ce moment, c'est risqué d'être un fan du PSG ! répond Oscar Tenon. J'espère au moins que leur équipe a gagné hier soir...!

10 h 12

Le lieutenant Oscar Tenon monte les escaliers de l'immeuble en suivant le vieux gardien Max Sacco qui a du mal à avancer. Après quelques minutes, les deux hommes se retrouvent enfin au cinquième et dernier étage. Oscar Tenon ne pratique aucun sport. Essoufflé, les mains sur les hanches, il attend une dizaine de secondes pour enfin retrouver une respiration normale.

Le jeune flic a besoin de savoir. Ce supporter du PSG n'est pas tombé du ciel. Il veut monter sur le toit pour essayer de comprendre :

— Vous m'accompagnez ? demande-t-il au gardien.

---

18. agresser (v.) : *attaquer une personne de manière violente.*

– Oh non, vous n'avez pas besoin de moi ! répond Max Sacco. Je suis trop vieux pour aller sur le toit. Vous devez monter par cette échelle et voici la clé pour ouvrir la petite porte. Je préfère vous attendre ici.

Le lieutenant retire sa veste de costume et la donne au concierge :

– Gardez ma veste et faites attention à ne pas l'abîmer. Vous n'êtes pas trop vieux pour ça, je pense ?…

En quelques secondes, Oscar Tenon se retrouve sur le toit de l'immeuble. Il est à une vingtaine de mètres au-dessus du sol mais il n'a pas le vertige. Il y a beaucoup de vent aujourd'hui. Les nuages bougent vite dans le ciel. Le jeune flic se tient à une cheminée[19] et observe le panorama. Le Parc des Princes, immense, empêche d'admirer Paris. Sans le stade, on verrait sans doute la tour Eiffel, le Sacré-Cœur et d'autres célèbres monuments. Mais Oscar Tenon n'est pas un touriste en vacances…

Le toit de l'immeuble, très en pente, mesure une vingtaine de mètres carrés. Le lieutenant de police avance lentement. Il ne sait pas très bien ce qu'il cherche. Il imagine ce que pouvait faire un supporter

---

19. cheminée (n.f.) : *ici, aide Oscar Tenon à ne pas tomber du toit.*

du PSG sur ce toit. *Comment est-il arrivé là ?* Les immeubles sont collés les uns aux autres. Il a très bien pu arriver sur ce toit en passant par un autre immeuble. Un bâtiment en béton gris semble facile d'accès, avec de nombreuses échelles sur les murs, comme à New York. Un autre immeuble à gauche a de nombreuses terrasses[20]. Ce sont des passages faciles pour des voleurs sportifs. *Il faut être agile comme un singe[21] pour venir jusqu'ici*, se dit Oscar Tenon.

Soudain, son regard est attiré par un détail étrange à une dizaine de mètres. Il s'approche pour mieux voir mais un pas de plus et c'est la chute dans la cour, comme pour le malheureux supporter du PSG. Entre deux cheminées, le jeune flic trouve quelques bouts de pain et une boîte de fromage vide. *Bizarre ! Il y a vraiment des endroits plus confortables pour manger après un match de football.*

Oscar Tenon observe un peu partout. Il s'attend à trouver de nouveaux indices[22]. Et il n'est pas déçu. Sur deux mètres de longueur, la gouttière[23] est très abîmée, comme si on avait donné de grands coups de marteau dessus. Mais impossible

---

20. terrasse (n.f.) : *partie extérieure d'un appartement, d'une maison.*
21. être agile comme un singe (expr.) : *être souple, rapide.*
22. indice (n.m.) : *information intéressante pour l'enquête.*
23. gouttière (n.f.) : *grand tuyau ouvert sur le toit. Quand il pleut, la pluie tombe dedans.*

de s'approcher. Le cadavre du supporter du PSG est vingt mètres en dessous pour rappeler le danger. Oscar Tenon a une très bonne vue mais il n'est pas sûr de ce qu'il voit sur la gouttière. Des traces rouges peut-être… Des techniciens de la police nationale, accrochés comme des alpinistes[24], viendront faire des analyses plus tard.

Le lieutenant Tenon n'a plus qu'une idée : redescendre dans la cour pour vérifier un détail sur le cadavre. Et c'est rapidement, mais avec précaution, qu'il retrouve le gardien qui l'attendait au cinquième étage, avec sa veste de costume bien propre.

De retour dans la cour, Oscar Tenon court vers le cadavre. Et il observe les mains du jeune homme de longues secondes avant de s'écrier :

– Je pense savoir ce qui s'est passé !

11 h 36

Trop de choses étranges dans cet immeuble ! Oscar Tenon pense que la mort de ce jeune homme n'est pas totalement accidentelle. Il a besoin de parler avec le gardien. Dans la cour, le vieil homme

---

24. alpiniste (n.m.) : *sportif qui monte sur les montagnes.*

ne sait pas trop quoi faire avec tous ces policiers autour de lui.

– J'aimerais vous parler dans un endroit tranquille, lui lance Oscar Tenon. Pouvons-nous aller chez vous ?

– Oui, oui, si vous voulez mais ce n'est pas très bien rangé. Je n'avais pas prévu de recevoir quelqu'un.

– Ne vous inquiétez pas, chez moi, je ne range pas souvent mes chaussettes sales…

Et une nouvelle fois, Oscar Tenon suit le gardien Max Sacco. Les deux hommes traversent la cour pour se retrouver dans le hall de l'immeuble. Le jeune policier observe à droite et à gauche. Il se penche sur les boîtes aux lettres. Il en compte quatorze exactement.

– Il y a quatorze appartements dans l'immeuble ? demande-t-il au gardien.

– En fait, il y en avait quinze, trois par étage, mais les propriétaires du dernier étage ont regroupé deux appartements pour n'en faire plus qu'un.

Comme s'il n'était pas intéressé par la réponse de Max Sacco, le lieutenant Tenon fait un tour sur lui-même et demande :

– Il faut deux codes pour rentrer dans l'immeuble ?

— Tout à fait, répond le vieil homme.

— Et ça, c'est quoi ? interroge-t-il, en montrant une petite boule noire au plafond[25].

— Ça, c'est une caméra de surveillance. Mais je crois qu'elle ne fonctionne pas très bien…

— Qui s'occupe de cette caméra ? Qui peut me donner les images enregistrées ?

Le vieux gardien hésite avant de répondre, ce qui n'échappe pas au jeune policier.

— Je ne sais pas trop… L'association des propriétaires de l'immeuble, je suppose.

— Et pourquoi une caméra, les deux codes ne suffisent pas ? En plus d'être sourds et aveugles, les habitants de l'immeuble sont paranoïaques ? À moins qu'une personne célèbre habite dans l'immeuble ?

— Non, non, il y a eu quelques vols dans l'immeuble et dans le quartier, les gens sont en colère.

— Il y a d'autres caméras dans l'immeuble ?

— Il y en a une au dernier étage, là où vous êtes monté sur le toit, et une autre dans la cour.

— Très intéressant…

---

25. au plafond (expr.) : *ici, en haut, au-dessus de la tête.*

L'appartement du gardien est un studio d'une quinzaine de mètres carrés. Un beau chat gris dort sur le lit. Le vieil homme indique une chaise au policier.

– Je vous sers une tasse de café ?

– Non merci. Je veux surtout la liste des habitants de l'immeuble, avec leurs adresses mail et leurs numéros de téléphone.

– Je suis désolé… Je n'ai pas tout cela. J'ai quelques numéros dans mon téléphone, mais pas tous. Et je n'ai pas d'ordinateur, je suis trop vieux pour ça… Je pense que Christelle Visibeau, la jeune femme du troisième, pourra vous renseigner. C'est elle qui s'occupe de tous les papiers de l'association des propriétaires.

– Elle est là actuellement ou est-elle en vacances ?

– Vous avez de la chance. Elle ne part pas souvent en vacances et elle travaille chez elle. Je l'ai vue ce matin.

La chance, Oscar Tenon n'y croit pas trop pour résoudre une enquête[26]. Il compte surtout sur son instinct et sur de vrais témoignages.

---

26. résoudre une enquête (expr.) : *trouver la solution d'une investigation.*

– Vous pourriez m'en dire un peu plus sur les cambriolages[27] dont vous avez parlé tout à l'heure ?

– Je crois qu'il y en a eu quatre ou cinq. Les deux appartements du cinquième ont été cambriolés.

– Et les caméras ont été installées après les cambriolages ?

– Tout à fait.

– Quand exactement ?

– Je ne me souviens plus très bien. Il y a six mois peut-être, répond le gardien.

– Et vous m'avez dit tout à l'heure que la caméra ne fonctionne pas alors qu'elle est presque neuve. Vous ne trouvez pas ça un peu bizarre ?...

Le gardien ne répond rien. Il semble gêné. Le lieutenant Tenon réfléchit de longues secondes en regardant le vieil homme. Il se lève soudain et dit d'une voix dure :

– Cher monsieur Sacco, j'ai l'impression que vous me cachez des choses et je n'aime pas ça. Je vais vous laisser réfléchir...

Et le lieutenant Tenon quitte l'appartement du gardien en claquant la porte. Nous ne sommes qu'au début de l'enquête, il reviendra et sait qu'il obtiendra des réponses à ses questions...

---

27. cambriolage (n.m.) : *voler dans une maison ou un appartement.*

12 h 01

Oscar Tenon n'aime pas les ordinateurs et les smartphones. Il ne sait d'ailleurs pas s'en servir. Il a toujours refusé d'avoir un téléphone portable. Il est tranquille quand il travaille sur une enquête. Personne ne peut le déranger. Et quand il a besoin de téléphoner, il trouve toujours une solution. Il présente sa carte de police et demande aux gens dans la rue de lui prêter leur téléphone.

Aujourd'hui, dans la cour de cet immeuble, il y a beaucoup de collègues policiers. Il demande le téléphone de l'un d'eux pour appeler son chef, le commissaire Jean-Claude Brochant. C'est un policier de soixante-quatre ans avec beaucoup d'expérience. Il sera à la retraite dans quelques semaines. Il aime bien Oscar Tenon. Il lui fait confiance même si le jeune policier ne respecte pas beaucoup le règlement, ni la discipline, ni le travail administratif. Mais Oscar Tenon a de bons résultats et c'est l'essentiel.

Le commissaire Brochant répond après seulement une sonnerie :

– Bonjour patron, c'est Tenon à l'appareil. Je ne vous dérange pas ?

– Pas du tout. Alors, cette affaire de cadavre de supporter ?

– Il y a quelque chose qui me pose problème dans cette histoire. Personne n'a rien vu, n'a rien entendu, alors que je suis certain que le type a hurlé avant de tomber du toit. J'ai découvert des traces de sang sur la gouttière et sur les mains du cadavre. À mon avis, il est resté accroché un certain temps avant de tomber. Il a dû crier très très fort avec quinze mètres de vide sous lui.

– Effectivement, cela semble logique.

– Et il y a un autre problème ! Dans l'immeuble, il y a des caméras de surveillance presque neuves et le gardien me dit qu'elles ne fonctionnent pas. Comme si on ne voulait pas nous montrer ce qui s'est passé hier soir.

– Un bon enquêteur comme vous, je suis certain que vous allez m'expliquer tout cela prochainement.

– Je vais essayer, patron. Je vais interroger les voisins. C'est impossible que la chute de cet homme soit passée inaperçue[28]. Et puis il y a aussi cette histoire de bagarre[29] hier soir. Un collègue m'a dit qu'un autre supporter du PSG a été sauvagement

---

28. inaperçu (adj.) : *qu'on ne voit pas.*
29. bagarre (n.f.), (fam.) : *dispute très violente.*

agressé à quelques centaines de mètres d'ici. J'ai du mal à croire aux coïncidences[30].

– Oui, les radios et les télés ne parlent que de ça depuis ce matin. Nous avons une équipe d'enquêteurs qui essaie de savoir ce qui s'est passé. La victime est à l'hôpital, dans le coma. Depuis quelques années, les problèmes de violence autour du Parc des Princes semblaient résolus[31]. Le préfet de police[32] de Paris est très très en colère. Nous devons trouver les coupables le plus vite possible…

12 h 46

Oscar Tenon est très patient. Il peut passer des heures à la recherche d'indices ou à interroger des témoins. Mais aujourd'hui, il n'y a pas beaucoup de témoins dans l'immeuble. Au premier étage, deux appartements sont vides. Le troisième est occupé par une vieille dame, Roselyne Simon. Oscar Tenon se présente poliment mais la femme ne comprend pas bien ce qu'il dit. Elle est un peu sourde.

---

30. coïncidence (n.f.) : *hasard.*
31. résolu (adj.) : *fini.*
32. préfet de police (n.m.) : *responsable de la préfecture de police qui s'occupe du respect des lois à Paris.*

Le policier doit répéter trois fois ses questions :

– Avez-vous entendu du bruit hier soir vers 23 heures ? Avez-vous vu quelque chose ?

Après avoir enfin compris, la vieille femme sourit :

– Mon pauvre monsieur, je n'entends pas bien ! Je regarde la télévision avec un casque stéréo. C'est un cadeau de ma fille, il marche très bien. Alors ce qu'il se passe dehors…

Le lieutenant ne perd pas de temps et salue la vieille dame avant de se rendre au deuxième étage. Et là, encore moins de chance qu'au premier étage. Personne ne répond. Il ne reste plus qu'à continuer la montée.

Au troisième étage, Christelle Visibeau ouvre sa porte de façon énergique. C'est une charmante femme d'une trentaine d'années, avec de magnifiques yeux gris et de longs cheveux roux. Son seul problème : une voix aiguë très désagréable. Un policier est déjà venu l'interroger. Elle semble très stressée. C'est *la loi du mort-kilomètre* : un mort près de chez vous est bien plus choquant que 1 000 morts à 1 000 kilomètres de chez vous. Oscar Tenon n'a pas le temps de lui poser des questions :

– C'est terrible ce qui est arrivé à ce pauvre garçon ! Je peux faire quelque chose pour vous ?

– Je suis le lieutenant Tenon. Votre gardien m'a dit que vous faites partie de l'association des propriétaires[33] de l'immeuble.

– C'est exact, répond la jeune femme.

– Vous étiez chez vous hier soir, entre dix heures et minuit ?

– Non, malheureusement. Votre collègue m'a déjà posé la question. Je suis sortie avec des amis. Je suis rentrée assez tard, vers une heure, et je n'ai rien remarqué.

– Vous pouvez quand même m'aider. Vous devez avoir la liste des habitants de l'immeuble avec leurs numéros de téléphone et leurs adresses mail ?

– Oui, tout à fait. Je peux vous envoyer ça par mail si vous voulez…

– Vous n'auriez pas une liste sur une vraie feuille de papier ? l'interrompt Oscar Tenon.

– Vous avez de la chance. Nous avons bientôt une réunion des propriétaires en septembre. J'ai fait des photocopies. Je vais vous trouver la liste.

Christelle Visibeau se retourne et part en direction de son salon, laissant le flic devant sa porte. Oscar Tenon est très curieux. Il n'a pas été invité à rentrer mais il suit la jeune femme dans

---

33. propriétaire (n.) : *ici, personne qui a acheté un appartement.*

son appartement propre et bien rangé. Christelle Visibeau est surprise. Elle s'arrête d'un coup et Oscar Tenon manque de la bousculer[34]. Il n'est pas gêné pour autant :

– Je souhaite voir la cour à partir de votre fenêtre, dit-il.

– Maintenant que vous êtes là...

Le flic entre dans le salon et se place devant la fenêtre en bougeant légèrement un canapé. Il reste muet de longues secondes pendant que Christelle Visibeau cherche la liste des habitants. Puis il s'approche de la jeune femme en disant :

– D'ici, on voit très bien le cadavre de ce supporter du PSG.

Surprise, Christelle Visibeau a le visage tout rouge. Elle ne sait pas quoi répondre. On dirait qu'elle va pleurer. Le flic le sent et se recule au moment où elle lui tend la liste des habitants. Il fait un tour sur lui-même et demande :

– Vous savez si vos voisins du troisième étage sont là ?

– Jérémie, mon voisin de gauche, n'est pas parti en vacances. Il travaille tout l'été. Il doit être là ce matin.

_____

34. bousculer (v.) : *pousser avec force une personne.*

– Vous pensez que Jérémie peut être un voleur ou un assassin ? Il a déjà été violent avec vous ?

– Mais pas du tout, c'est un garçon charmant ! répond Christelle Visibeau, choquée par cette question.

Le flic observe la liste des propriétaires avec attention et la rend à la jeune femme :

– J'ai aussi besoin du numéro de téléphone de votre gardien, Max Sacco. Que pensez-vous de lui ?

– Je ne sais pas… Il est très sympathique, il rend des services à tout le monde dans l'immeuble…

– Et il a déjà été violent avec vous ? Vous pensez qu'il pourrait avoir tué ce pauvre supporter ?

– Mais vous voyez des assassins partout ! lui répond Christelle Visibeau, soudain énervée.

– C'est un peu mon métier, non ? Je dois vous soupçonner[35] aussi. Nous devrons aussi vérifier votre alibi pour hier soir. Vous pourrez me noter en bas de la liste les noms et les numéros de téléphone des gens avec qui vous êtes sortie…

---

35. soupçonner (v.) : *suspecter.*

13 h 15

Jérémie Cadeaux a environ vingt-cinq ans. Il porte une longue barbe noire, presque aussi longue que celle du Père Noël. Il ouvre sa porte au lieutenant Tenon après l'avoir fait attendre presque une minute, mais il ne propose pas au policier de rentrer. Il semble mal à l'aise, comme un enfant qui a fait une bêtise. Le flic en profite pour le déstabiliser[36] un peu :

– C'est la police qui vous rend une petite visite. Vous n'aimez pas les flics ?

– Euh, non, non…

Difficile de ne pas sentir l'odeur de tabac froid et de marijuana qui sort de l'appartement.

– Rassurez-vous, je ne travaille pas pour la brigade des stupéfiants[37]. Je suis lieutenant à la brigade criminelle. Je viens vous parler du cadavre qui se trouve dans la cour. Que faisiez-vous hier soir entre dix et onze heures ?

Le jeune homme fixe Oscar Tenon comme s'il venait de parler dans une langue étrangère. La fatigue, sans doute…

---

36. déstabiliser (v.) : *perturber.*
37. brigade des stupéfiants (n.f.) : *service de police qui s'occupe du trafic de drogue.*

Après quelques secondes d'hésitation, Jérémie Cadeaux dit tout doucement :

– Je ne faisais rien, j'étais chez moi…

– Donc vous avez entendu du bruit ? Des cris ? Vous avez vu quelque chose ? Une personne qui tombe sous votre fenêtre…

– … Euh, non… J'écoute tout le temps de la musique et je travaille sur mon ordinateur…

– Donc vous ne faisiez pas rien ? Vous m'avez donc menti.

– … Euh… non… C'est une façon de parler. Je ne faisais rien de particulier. Je surfais sur Internet[38].

Oscar Tenon n'aime pas du tout ce genre d'interrogatoire[39]. Il a l'impression de perdre son temps. Il décide donc de changer de ton :

– Vous ne seriez pas dealer de marijuana ? L'homme qui se trouve par terre dans la cour ne serait pas un de vos clients qui aurait fumé un joint de trop et serait tombé de votre fenêtre ?

– Mais non, pas du tout… Je fume juste un joint[40] de marijuana de temps en temps. Je ne suis pas un dealer.

---

38. surfer sur Internet (expr.) : *aller sur Internet.*
39. interrogatoire (n.m.) : *questions posées pour connaître la vérité.*
40. joint (n.m.), (fam.) : *cigarette de haschisch.*

– Si vous n'êtes pas dealer, quel est votre métier ?

– Je travaille pour une entreprise de sécurité. Je suis informaticien.

– Et donc hier, vous n'avez rien vu, rien entendu ?

– Bah… comme tous les soirs de match, il y avait pas mal de bruit mais je n'ai rien remarqué de particulier.

– Et vous ne fumez pas vos joints à la fenêtre par hasard ?

– Non, Christelle, ma voisine, ne supporte pas l'odeur et ses fenêtres sont juste à côté.

– Et ça vous arrive de monter sur le toit de l'immeuble ?

– Non, jamais. Je ne suis jamais monté sur le toit. Je n'ai pas la clé.

– Et comment savez-vous qu'il faut une clé pour monter sur le toit ?

– Euh, je ne sais pas, le gardien a dû me le dire…

Le jeune homme a soudain le visage tout rouge et il ne peut regarder le policier dans les yeux. Oscar Tenon n'est pas un débutant. Il sait reconnaître le mensonge. Cependant, son enquête ne fait que commencer. Il n'est pas pressé et il ne se met jamais en colère. Il décide juste de mettre la pression sur Jérémie Cadeaux avant de partir :

– Vous mentez très mal, jeune homme. J'ai l'impression que vous êtes déjà allé sur le toit de l'immeuble et que vous savez des choses. C'est un délit[41] de mentir à la police mais comme vous portez un joli nom, je vais vous faire un cadeau. Je vais vous laisser réfléchir un peu. Je reviendrai vous voir plus tard.

Et sans dire *au revoir*, le policier se tourne pour monter dans les escaliers vers le quatrième étage.

Il ne lui reste plus que les habitants de cinq appartements à interroger. Cependant, la chance n'est pas avec lui. Il sonne à cinq portes mais personne ne lui répond. Des gens sans doute en vacances ou déjà partis travailler. Ce n'est pas grave, Oscar Tenon est resté assez longtemps dans cet immeuble. Il pense avoir mieux à faire ailleurs. Contre les mensonges, il dispose d'une arme secrète très efficace.

---

41. délit (n.m.) : *ici, faute grave.*

16 h 18

Fin 2017, la brigade criminelle a déménagé. Autrefois en plein centre de Paris, sur l'île de la Cité, près de la cathédrale Notre-Dame, les enquêteurs[42] de la brigade ont désormais leurs bureaux au nord de Paris, dans un immeuble moderne près de la porte de Clichy. Mais Oscar Tenon ne va pratiquement jamais dans ces bureaux. Il ne sait pas travailler en équipe avec ses collègues, ce qui ne l'empêche pas d'obtenir de bons résultats dans ses enquêtes.

Et s'il obtient de bons résultats, c'est aussi grâce à son meilleur ami, Asafar Boulifa. Ils ont le même âge, ils se sont rencontrés à l'école il y a bientôt trente ans. Et depuis, ils se voient presque tous les jours.

Asafar Boulifa est un génie de l'informatique. Avec son petit salaire de policier, Oscar Tenon se demande comment son ami peut gagner autant d'argent en restant chez lui, devant ses trois énormes ordinateurs. Il anime des personnages dans des jeux vidéo de combat. Il n'invente rien, ni héros, ni scénario. Son métier : déplacer des

---

42. enquêteur (n.m.) : *policier qui cherche des informations pour résoudre une enquête.*

personnages de façon la plus réaliste possible en 3D. Et c'est l'un des plus grands spécialistes français.

Très bien payé, Asafar Boulifa n'a donc pas besoin de beaucoup travailler. Et Oscar Tenon, qui ne connaît rien en informatique, profite du temps libre de son ami. Le flic n'aime pas les nouvelles technologies mais il sait qu'elles sont importantes pour résoudre des enquêtes.

Asafa Boulifa est très impressionnant : il pirate facilement boîtes mail, comptes en banque, bases de données des entreprises ou téléphones portables… de façon pas très légale. Mais cela fait gagner beaucoup de temps à son ami policier.

Oscar Tenon est arrivé en mobylette chez son ami Asafar Boulifa, dans le xve arrondissement de Paris, à trois ou quatre kilomètres du Parc des Princes.

Confortablement installé dans un sofa, il boit maintenant un thé glacé et tend à son ami informaticien la liste des habitants de l'immeuble donnée par Christelle Visibeau. Il lui explique son enquête :

– Ce matin, on a trouvé un homme mort dans la cour d'un immeuble, près du Parc des Princes. Il est tombé du toit, mais je pense que ce n'est pas un accident. J'ai rencontré quelques habitants de l'immeuble. Et certains m'ont menti. Ils disent qu'ils n'ont rien vu ni rien entendu. J'ai besoin de toi. J'aimerais que tu regardes ce qu'il y a dans les boîtes mail de tous ces habitants. Voici la liste.

– Tu m'en demandes beaucoup. On ne fait pas ça en cinq minutes !

– Ne sois pas modeste ! Je sais que c'est facile pour toi.

– Ce n'est pas très difficile mais je vais devoir travailler quelques heures. Et puis comme d'habitude, nous n'allons pas beaucoup respecter la loi.

– Je n'ai pas de temps à perdre avec des problèmes administratifs. Si je demande à mon patron, j'attendrai deux jours pour avoir accès aux mails des habitants de l'immeuble. Il faut aller vite. L'assassin peut disparaître si nous ne faisons pas vite.

– OK, je commence donc tout de suite. Tu peux rentrer chez toi te relaxer. Reviens demain matin. J'aurai tout ce que tu veux mais il faut que j'appelle deux ou trois amis qui vont m'aider. Comme d'habitude, il faudra leur donner un ou deux billets de 100 euros…

– Pas de problème. 100 euros pour découvrir la vérité et mettre des coupables en prison, ce n'est pas très cher…

Deuxième jour

14 août 2018, 9 h 12, Malakoff, près de Paris

Le lieutenant Oscar Tenon habite presque encore chez sa maman. Il vit à Malakoff, derrière le périphérique, l'autoroute qui fait le tour de Paris. C'est un quartier de vieilles maisons ouvrières[43], à une centaine de mètres du XVᵉ arrondissement de Paris. Oscar Tenon habite une petite maison de deux pièces, au fond du jardin d'Yvonne Tenon, sa maman. La grosse maison pour maman, la petite maison pour son fils.

---

43. maison ouvrière (n.f.) : *petite maison où un ouvrier et sa famille habitaient dans le passé. Un ouvrier est une personne qui travaille dans une usine.*

Ce matin, Oscar n'a pas le temps d'aller dire bonjour à Yvonne. Il est pressé de savoir ce que son ami Asafar a trouvé sur les mystérieux habitants de l'immeuble. Il part avec sa mobylette et s'arrête dans une boulangerie pour acheter de bons croissants chauds.

Asafar Boulifa ne dort pas beaucoup la nuit. Il travaille souvent très tard. Et il a trouvé des choses intéressantes pour son ami Oscar. Il l'accueille en souriant. Oscar Tenon fait comme s'il était chez lui. Il se dirige directement vers la cuisine pour préparer du café.

– J'ai de bonnes *news* pour toi, Oscar. Tu vas être très content ! Mais avant de te raconter ce que j'ai trouvé, il faut que je te lise un mail du commissaire Brochant. Tes collègues de la brigade criminelle ont, eux aussi, bien travaillé pendant la nuit. Certains n'ont pas beaucoup dormi, comme toi.

Oscar Tenon a une adresse mail officielle mais il ne se connecte jamais directement. Il ne touche jamais un ordinateur. C'est Asafar Boulifa qui le fait pour lui, il a ses codes d'accès et son mot de passe. Pendant qu'Oscar prépare le café dans la cuisine, Asafar lit le mail envoyé par le commissaire Brochant, le patron de la brigade criminelle :

– Je te fais un résumé. Tes collègues savent maintenant comment s'appelait le cadavre découvert dans la cour de l'immeuble. Son nom est Samuel Lopez. Il n'avait que vingt-trois ans. Et ce n'était pas un inconnu. Il a un gros casier judiciaire[44]. Il a été condamné[45] plusieurs fois pour vol, agression et différents trafics. Il a déjà fait deux ans de prison. Il a été libéré il y a moins d'un mois.

– Et comment ont-ils fait pour savoir que c'est bien lui ? demande Oscar en apportant deux mugs de café et des croissants sur un plateau. Il n'avait pas de papiers d'identité sur lui et son téléphone portable était détruit.

– Ils l'ont identifié grâce au supporter du PSG dans le coma. Il n'avait pas de carte d'identité sur lui non plus mais son téléphone portable fonctionnait très bien. Tes collègues ont réussi à contacter ses parents. Il s'appelle Nathan Villers et lui aussi est déjà allé en prison pour des affaires de vol et d'escroquerie[46]. Et devine qui est son meilleur ami…

– Samuel Lopez, répond immédiatement Oscar Tenon.

---

44. casier judiciaire (n.m.) : *fichier de la justice qui présente toutes les condamnations d'une personne.*
45. condamné (adj.) : *jugé par la justice.*
46. escroquerie (n.f.) : *vol.*

– Exact. Et Samuel Lopez n'est jamais rentré chez lui. Sa copine l'attend encore…

Ce n'est donc plus un mystère : ces deux faux supporters, l'un mort, l'autre dans le coma, étaient bien liés. L'enquête d'Oscar Tenon évolue rapidement. Le lieutenant réfléchit en même temps qu'il parle :

– C'est une excellente idée de s'habiller en supporter du PSG les soirs de match au Parc des Princes ! Rien de mieux pour ne pas être repéré. Il y a peut-être beaucoup de policiers autour du stade mais ils sont surtout occupés à assurer la sécurité des spectateurs et à éviter les bagarres entre supporters. Ils ne font pas très attention aux cambriolages dans les immeubles autour. Samuel Lopez et Nathan Villers étaient des petits malins. Mais que s'est-il passé exactement ? Ils ont peut-être fait une mauvaise rencontre…

– Tes collègues n'en savent pas plus. Mais moi j'en sais un peu plus, affirme Asafar en prenant un mug de café.

– Tu devrais travailler dans la police… Raconte-moi tout…

Asafar Boulifa aime faire durer le suspense[47]. Il boit un peu de café et trempe un croissant dans son mug. Puis il demande à son ami :

– Avant de te raconter ce que j'ai trouvé, sais-tu pourquoi le stade s'appelle le Parc des Princes ? J'ai fait mes petites recherches dans la nuit.

Oscar Tenon secoue la tête négativement :

– En tout cas, ce n'est pas parce que les foot-balleurs professionnels sont des princes… Ce sont rarement des *gentlemen*. Ils m'énervent à toujours se plaindre et à se rouler par terre.

– Au XVIIIe siècle, l'emplacement actuel du stade, au sud-ouest de Paris, était un endroit où les rois et les princes venaient chasser et se reposer. C'est ce qui a donné le nom au stade. Et pour être bref, il y a eu trois stades différents. Le premier a été construit en 1897. C'était aussi un vélodrome[48]. Il a été agrandi en 1932 puis détruit en 1972 pour être entièrement reconstruit. C'est le stade d'aujourd'hui. Et effectivement, il y a beaucoup d'immeubles d'habitation tout autour…

– Je n'aimerais pas habiter à côté, l'interrompt Oscar Tenon. Toutes les semaines, des milliers de personnes qui viennent hurler ou se battre entre

---

47. faire durer le suspense (expr.) : *expliquer les choses lentement.*
48. vélodrome (n.m.) : *stade pour les courses cyclistes.*

supporters… Et puis maintenant, ces voleurs qui profitent des matchs…

— Et le stade de tennis de Roland-Garros n'est pas loin non plus. Quand il y a les Internationaux de France de tennis en juin, le quartier doit être invivable !

Asafar Boulifa s'arrête d'un coup de parler et fait un grand geste de la main en regardant un de ses ordinateurs :

— Oscar, tu viens juste de recevoir un mail de l'Institut médico-légal[49].

— Ça doit être le rapport d'autopsie[50] de Samuel Lopez. Peux-tu le lire, s'il te plaît ?

— Attends, ne sois pas si impatient, j'ouvre le fichier.

Asafar Boulifa n'est pas policier mais il a assisté à toutes les enquêtes de son ami Tenon. Il sait donc lire les rapports d'autopsie. Il sait surtout qu'il faut aller directement aux conclusions des médecins légistes et ne pas se perdre dans toutes les descriptions scientifiques.

---

49. institut médico-légal (n.m.) : *endroit, à Paris, où on examine les cadavres pour découvrir les causes de la mort.*
50. autopsie (n.f.) : *examen d'un cadavre pour connaître les causes de la mort.*

– Samuel Lopez est mort sur le coup. Il est tombé sur la tête, ce qui a provoqué une fracture des cervicales et de la colonne vertébrale ainsi qu'une importante hémorragie cérébrale[51]. Le médecin n'a rien trouvé de spécial dans le sang de la victime : ni alcool, ni drogue, ni médicament. Mais il a fait une découverte un peu surprenante. Les deux mains présentaient des fractures[52] à tous les doigts, sauf aux deux pouces…

– J'en étais sûr ! l'interrompt le lieutenant Tenon. J'ai remarqué ces blessures et je sais pourquoi. En montant sur le toit de l'immeuble, j'ai vu que la gouttière était abîmée et qu'elle portait des traces de sang. Avant de tomber dans la cour, le pauvre gars s'est sans doute rattrapé à la gouttière. Et j'imagine que quelqu'un lui a tapé sur les mains pour le faire tomber. Le tout est de savoir qui…

– C'est donc un meurtre et pas un accident !

– Exactement, Asafar. Encore une fois, tu devrais vraiment travailler dans la police !

– Non merci, je suis très bien avec mes jeux vidéo. Je prends moins de risques que toi et je gagne plus d'argent.

---

51. hémorragie cérébrale (n.f.) : *grave blessure à la tête.*
52. fracture (n.f.) : *ici, doigts cassés.*

– Tes jeux vidéo sont souvent bien plus violents que dans la réalité et dans mes enquêtes.

Oscar Tenon finit son croissant en souriant. Il reste pourtant concentré sur son enquête :

– En tout cas, je n'imagine pas le meilleur ami de Samuel Lopez, Nathan Villers, lui taper sur les doigts pour le faire tomber.

– Ils se sont peut-être battus, propose Asafar.

– Je ne pense pas. Tu imagines deux amis se bagarrer sur un toit, à quinze mètres de hauteur, alors qu'ils viennent pour cambrioler des appartements ?

– Tu as raison…

– Tout à l'heure, tu as dit que tu avais fait des découvertes pendant la nuit. Je suis impatient de savoir de quoi il s'agit.

Asafar s'approche d'un de ses trois ordinateurs et dit :

– Je n'ai pas réussi à hacker les boîtes mail de tous les habitants de l'immeuble. Certains sont assez paranoïaques, avec des mots de passe difficiles à pirater[53]. D'autres sont moins prudents. Sur la liste des quinze habitants que tu m'as donnée, j'ai réussi à entrer dans neuf boîtes. Six sont sans

---

53. pirater (v.) : « *hacker* ».

intérêt : beaucoup de spams, de publicités et de messages inutiles. Par contre, trois boîtes mail sont intéressantes : elles communiquent les unes avec les autres très régulièrement.

– De qui s'agit-il ?

– Jean-Pierre Bousquet, Jérémie Cadeaux et Christelle Visibeau. Cette dernière envoie des mails à un peu tout le monde dans l'immeuble, pour des histoires de réunion et de travaux. Il n'y a rien de bizarre.

– Effectivement, elle est responsable de l'asso-ciation des propriétaires.

– Par contre, Jean-Pierre Bousquet a envoyé récemment des mails un peu étranges. Deux jours avant le meurtre, il a écrit un mail à une adresse au nom de lynx92, un pseudonyme. Le texte est à moitié codé.

Le jeune informaticien s'approche de son écran :

– Bousquet écrit donc à lynx92 : *Nous sommes prêts. Si l'ennemi attaque, nous avons les armes nucléaires.*

– Intéressant… l'arme nucléaire en plein Paris, c'est peut-être un peu excessif[54]. Et lynx92 lui a répondu quelque chose ?

---

54. excessif (adj.) : *extrême, exagéré.*

— Non, rien. Mais Bousquet lui a envoyé un autre mail le lendemain en disant : « *Les armes nucléaires sont OK.* »

— Et que vient faire Jérémie Cadeaux dans tout cela ?

— C'est là où les choses deviennent vraiment intéressantes. Il a reçu un mail très court de lynx92 hier, tôt, à six heures du matin. Et les menaces sont claires : *Attention à toi.*

— J'aimerais vraiment bien savoir qui est ce lynx92. Qu'a donc fait Jérémie Cadeaux ?

— J'ai l'adresse IP de lynx92 mais pour l'instant, tu ne pourras rien en faire. J'ai un copain qui va pouvoir m'aider à mettre un nom sur cette adresse IP. Il travaille pour l'HADOPI[55]. Mais ça va coûter 500 euros. Comme c'est bientôt ton anniversaire, Oscar, ce sera ton cadeau.

— Beau cadeau ! Tu es vraiment très généreux, mon ami…

---

55. HADOPI : *loi qui recherche et poursuit les personnes téléchargeant sans autorisation des films, de la musique… (abréviation de Haute Autorité pour la Diffusion des Œuvres et la Protection des droits sur Internet).*

11 h 12

Asafar Boulifa déteste monter sur la mobylette avec Oscar Tenon. Il a peur car le policier conduit trop vite dans Paris et il ne respecte pas beaucoup le code de la route. Asafar prend donc un taxi et suit Oscar sur sa mobylette pour aller près du Parc des Princes.

Le lieutenant Tenon veut poser de nouvelles questions au gardien, Max Sacco. Il veut aussi vérifier les trois caméras de surveillance de l'immeuble avec Asafar qui est un spécialiste de la vidéo. Et si le gardien lui avait menti ? Et si les caméras fonctionnaient parfaitement et qu'elles avaient filmé des moments importants le soir de la mort de Samuel Lopez ?

Arrivé sur place, Oscar Tenon retire son casque et se recoiffe soigneusement[56]. Asafar Boulifa est en train de sortir de son taxi quand le flic lui dit :

– Je réfléchis beaucoup quand je suis sur ma mobylette. Et j'ai pensé à ce mail de Jean-Pierre Bousquet à lynx92 où il parle de sortir les armes nucléaires. Je me demande si ces armes nucléaires ne sont pas des simples barres de fer ou des bâtons en bois...

---

56. soigneusement (adv.) : *ici, bien se coiffer.*

– Ou une batte de base-ball ? propose Asafar.

– Oui, excellente idée ! Un soir de match, pour faire peur aux cambrioleurs, une batte de base-ball peut être très efficace…

Les deux amis se trouvent sur le trottoir, devant l'immeuble où a été retrouvé le corps de Samuel Lopez. Problème : hier, Oscar Tenon n'a pas demandé au gardien les codes d'accès. Et il n'a pas envie d'attendre qu'un habitant entre ou sorte. Il va donc taper sur les fenêtres du rez-de-chaussée, celles de l'appartement du gardien, Max Sacco.

Asafar Boulifa est un peu gêné par le bruit que fait son ami. Des gens qui passent dans la rue observent les deux hommes comme s'ils étaient des voleurs ou des drogués. Heureusement, Max Sacco finit par ouvrir la fenêtre :

– Ah, c'est vous… Ce n'est pas la peine de faire autant de bruit. Je ne suis pas sourd !

Oscar Tenon répond en souriant :

– Excusez-moi, mais personne n'a rien entendu le soir de la mort du supporter du PSG, je pensais que vous étiez tous sourds dans cet immeuble. Vous pourriez nous ouvrir, s'il vous plaît. Je n'ai pas le code.

Après une trentaine de secondes, Max Sacco ouvre la porte en grand. Le vieil homme a ses cheveux gris dans tous les sens. On dirait qu'il sort de son lit.

– Vous êtes malade ? lui demande Oscar.

– Oh rien de grave, j'ai juste un peu mal à la tête. J'étais en train de faire une sieste.

– Je vous présente un vieil ami, lui dit Oscar en montrant Asafar de la main. Nous avons deux ou trois choses à vérifier dans l'immeuble et après, j'aurai de nouvelles questions à vous poser. J'espère que je ne vous ferai pas mal à la tête avec mes questions.

– Faites comme chez vous. Vous savez où me trouver. Je ne bouge pas de mon studio.

Oscar Tenon et Asafar Boulifa décident de monter directement au cinquième étage. Max Sacco lui a parlé d'une caméra qui l'intéresse beaucoup. *Pourquoi l'avoir installée au dernier étage ?* Pour le jeune policier, la réponse est évidente : *parce que lors des premiers cambriolages, les voleurs sont passés par les toits.*

Asafar Boulifa est très sportif. Il n'a aucun mal à monter les cinq étages. Il attend son ami quelques secondes en souriant :

– Je vais t'offrir un vélo d'intérieur. Tu pourras faire un peu de sport. Tu vas bientôt avoir quarante ans, tu dois prendre soin de ton cœur.

– C'est gentil mais pédaler[57] chez moi, non merci. Je préfère encore faire du vélo dehors. Mais il n'en est pas question à Paris. C'est trop dangereux !

Hier, lorsqu'il est monté sur le toit, Oscar n'a pas remarqué la caméra. Il faut dire qu'elle est toute petite et bien cachée, dans un coin du plafond. Elle est orientée vers l'échelle qui permet de monter jusqu'au toit. Sur la pointe des pieds, Asafar Boulifa observe la caméra. C'est un petit rectangle noir qui ne doit pas faire plus de six centimètres sur six centimètres.

– Ce n'est pas un jouet ! lance-t-il à Oscar. C'est du matériel professionnel *high-tech* qui coûte très cher. Et la caméra a l'air toute neuve. Ça ne tombe jamais en panne !

– Oui, c'est étrange, répond le policier. J'ai du mal à croire ce que m'a dit le gardien. Peux-tu vérifier si elle fonctionne ?

– Pas besoin d'être un spécialiste. Tu vois la petite lumière rouge ? Eh bien ça veut dire que la caméra est en train de nous filmer.

Oscar se met alors à faire des grands gestes et des grimaces en direction de la caméra.

---

57. pédaler (v.) : *faire du vélo*.

– Dis bonjour à la caméra, Asafar ! J'aimerais bien savoir qui nous observe…

– Ça ne doit pas être très compliqué. Il faut juste suivre les fils de la caméra, l'interrompt Asafar.

Et effectivement, deux petits fils électriques noirs sortent de la caméra. Ils mesurent environ trente centimètres et disparaissent ensuite dans un petit trou sur le mur, au-dessus de la porte d'un des deux appartements de l'étage.

Le lieutenant Tenon veut en savoir plus. Il se dirige alors vers la petite fenêtre du palier. En l'ouvrant, on peut voir la cour où a été retrouvé le cadavre de Samuel Lopez. Il y a surtout un petit rebord d'une vingtaine de centimètres qui fait tout le tour de l'immeuble et qui passe sous chacune des fenêtres des appartements.

– Je suis certain que lors des cambriolages, les voleurs sont passés par cette fenêtre, affirme Oscar Tenon.

– Tu as raison mais il ne faut pas avoir le vertige[58], répond son ami en se penchant vers l'extérieur.

– Parfait, je n'ai pas le vertige, dit Oscar en retirant sa veste de costume et en la tendant à Asafar.

---

58. avoir le vertige (expr.) : *ici, avoir peur de tomber quand on est en haut d'un immeuble.*

– Mais qu'est-ce que tu fais ? demande Asafar. Tu ne vas pas passer par là, au cinquième étage.

– Mais si. Je veux voir ce qu'il y a dans cet appartement, et surtout à quoi est reliée cette caméra. Le gardien m'a dit que les habitants sont en vacances. Je ne risque rien, je serai prudent. La première fenêtre de l'appartement n'est pas à plus de deux mètres.

Asafar Boulifa sait qu'il est inutile d'essayer d'arrêter son ami. Il ne lui reste plus qu'à espérer que tout se passe bien.

Le lieutenant Tenon passe par-dessus la rambarde[59] de la fenêtre sans la lâcher. Il pose doucement ses pieds sur le rebord en béton. Il est dos au vide. Asafar le retient par la chemise quelques instants mais c'est un geste bien inutile quand Oscar commence à avancer, petits pas par petits pas.

Effectivement, la première fenêtre de l'appartement est à moins de deux mètres et il n'y a pas de volet[60]. Oscar pourra sans doute voir à quoi sont connectés les deux fils de la caméra. Concentré, le lieutenant avance très doucement. Le visage contre le mur,

---

59. rambarde (n.f.) : *ici, barre de fer qui sert à ne pas tomber de la fenêtre.*
60. volet (n.m.) : *élément devant une fenêtre qui empêche la lumière d'entrer dans une pièce.*

les bras en croix pour se retenir aux briques[61], il fait des pas de côté d'une dizaine de centimètres. Asafar le surveille de la fenêtre mais il ne peut rien faire d'autre.

Et après d'interminables secondes, le lieutenant Tenon saisit la rambarde de la fenêtre d'un geste un peu brusque. Il est maintenant en sécurité. S'il fait un faux pas, il pourra toujours se rattraper. Un peu comme Samuel Lopez avec la gouttière… Il faut espérer que personne ne l'attende avec une barre de fer ou une batte de base-ball pour lui taper sur les doigts…

La fenêtre est fermée, on ne part pas en vacances en laissant tout ouvert. Le lieutenant de police ne va pas casser la vitre pour rentrer. Il peut juste observer l'intérieur de l'appartement. Il voit l'entrée avec les deux fils noirs au-dessus de la porte. Ils sont reliés à une boîte grosse comme un livre de poche. Une lumière verte et une lumière rouge clignotent. La caméra fonctionne donc bien. Si Oscar Tenon avait un smartphone, il aurait pu prendre une photo pour la montrer à son ami Asafar Boulifa.

Soudain, une femme arrive derrière la fenêtre où se trouve Oscar Tenon. Elle met une veste et ne voit pas tout de suite le flic. Quand elle se retourne, son cerveau ne comprend pas tout de

61. brique (n.f.) : *matériau utilisé dans la construction des murs.*

suite la situation. Un millième de seconde plus tard, elle hurle :

– Au secours ! Au secours ! Au voleur ! À l'aide !...

Oscar Tenon fait un léger mouvement de recul mais heureusement, ses mains tiennent fort la rambarde. Il ne sait pas trop quoi faire. Il se sent soudain bien bête et inutile. La femme veut fuir mais elle n'arrive pas tout de suite à ouvrir la porte de l'appartement. Elle fait tomber ses clés, les ramasse puis en introduit une dans la serrure[62]. Elle réussit enfin à ouvrir la porte et tombe nez à nez sur Asafar Boulifa qui ne comprend pas ce qui se passe.

Oscar Tenon lui crie :

– Sors ma carte de police de ma veste et montre-la à la femme...

12 h 24

Asafar Boulifa et Oscar Tenon sont dans l'appartement de monsieur et madame Cazelles avec leur femme de ménage[63]. C'est elle qui a surpris le flic à la fenêtre. Elle est venue faire le ménage avant

---

62. serrure (n.f.) : *sert à ouvrir ou fermer une porte avec une clé.*
63. femme de ménage (n.f.) : *personne qui nettoie l'appartement du couple Cazelles.*

le retour de vacances des Cazelles demain. Quand elle a vu la carte officielle de police avec le drapeau français présentée par Asafar, elle s'est calmée. Elle est rentrée dans l'appartement avec lui et a ouvert la fenêtre à Oscar.

— Je suis désolé de vous avoir fait peur madame, lui dit le lieutenant Tenon d'une douce voix. J'enquête sur les cambriolages qui ont eu lieu dans l'immeuble et sur la mort d'un homme qui est tombé du toit.

— Ah oui… lui répond la femme d'une cinquantaine d'années. Le gardien m'a parlé de cette histoire, c'est horrible.

— Vous savez que cet appartement a déjà été cambriolé plusieurs fois ?

— Oh oui, j'ai aidé les Cazelles à tout ranger après le cambriolage. Les voleurs avaient ouvert tous les meubles. Il y avait beaucoup de désordre.

Oscar Tenon sait qu'il n'a pas le droit de visiter l'appartement en l'absence de ses propriétaires. Il n'a aucune autorisation mais la femme de ménage est encore sous le choc de son apparition à la fenêtre. Le flic en profite et demande d'un discret signe de tête à Asafar d'étudier le matériel vidéo et informatique relié à la caméra.

– Avec mon collègue, nous avons besoin de savoir comment les voleurs sont entrés dans l'appartement. Je pense qu'ils sont entrés par la fenêtre où vous m'avez vu mais nous n'en sommes pas sûrs.

Et le flic part se promener dans l'appartement à la belle décoration moderne. Les meubles sont de qualité. Ils doivent coûter cher. Une énorme télévision prend beaucoup de place dans le salon. Un bel ordinateur américain est installé sur un bureau en verre. Des centaines de livres sont bien rangés dans une immense bibliothèque. Les cambrioleurs devaient savoir que les Cazelles ont de l'argent.

La femme de ménage est en train de boire un verre d'eau dans la cuisine, ce qui permet aux deux hommes d'inspecter l'appartement. Asafar Boulifa allume discrètement l'ordinateur relié au boîtier noir de l'entrée. Il sort une clé USB accrochée à son porte-clés.

Le propriétaire de l'ordinateur n'est certainement pas une personne très organisée. Il y a des fichiers et des dossiers un peu partout sur l'écran. Asafar a une excellente vue. Il observe à toute vitesse les noms des dossiers et il trouve rapidement ce qu'il cherche. Un dossier du nom de

« *Vidéo* ». En deux clics de souris, il copie le dossier sur sa clé USB et il s'intéresse aussi à la poubelle de l'ordinateur. Beaucoup de gens imprudents[64] mettent des fichiers à la poubelle mais oublient ensuite de la vider. C'est le cas de monsieur ou madame Cazelles. Asafar en profite pour copier le contenu de la poubelle sur sa clé USB. Il fait ensuite un signe du pouce à Oscar. L'opération n'a pas pris plus de trois minutes…

13 h 21

Le lieutenant Oscar Tenon est content de sa petite inspection de l'appartement du cinquième étage. Accompagnée par Asafar Boulifa, la femme de ménage est rentrée chez elle à pied, à deux cents mètres de l'immeuble. Mieux vaut lui laisser une bonne impression. Et ensuite, l'informaticien a pris un taxi pour rentrer rapidement chez lui analyser ce qu'il y a dans le dossier « *Vidéo* ».

Le flic a encore un peu de travail. Il sonne à la porte du gardien, Max Sacco. Le vieil homme lui

---

64. imprudent (adj.) : *qui ne fait pas attention.*

ouvre rapidement mais il n'a pas l'air très en forme. Il lui fait signe d'entrer.

– Désolé de vous déranger. Vous avez toujours mal à la tête ? lui demande Oscar Tenon.

Mais le lieutenant n'est pas désolé du tout. Le gardien lui a menti et il veut maintenant savoir la vérité. Max Sacco, malade, sera sans doute plus facile à interroger.

– Je suis habitué à avoir mal à la tête. Ça dure une journée ou deux et après je suis en pleine forme.

– Je me demande si vous n'avez pas mal à la tête à cause de vos mensonges. Dire la vérité est excellent pour la santé, vous devriez essayer !

Max Sacco lève les yeux et se touche les mains. Oscar Tenon ne lui laisse pas le temps de répondre.

– Pourquoi m'avoir dit hier que les caméras de surveillance ne fonctionnaient pas ? Alors qu'elles sont neuves et fonctionnent très bien. J'ai vérifié avec mon ami. Si vous ne me dites pas la vérité, je vais être obligé de vous emmener au commissariat et de vous mettre en garde à vue[65].

– Mais je n'ai rien fait de mal ! C'est monsieur Bousquet qui m'a appelé hier matin. Il m'a

___

65. garde à vue (n.f.) : *période où l'on interroge un suspect.*

demandé de dire que les caméras ne fonctionnaient pas. Il m'a promis un petit billet de cent euros.

Oscar Tenon attend quelques instants avant de reprendre.

– Il vous a appelé à quelle heure exactement ?

– Il m'a réveillé. Il devait être six heures du matin. C'était avant que je trouve le corps de ce pauvre homme dans la cour.

– Vous ne m'avez pas dit que les habitants du cinquième étage étaient encore en vacances ?

– C'est vrai. Monsieur et madame Cazelles vont rentrer demain. Monsieur et madame Bousquet rentreront après-demain. Ils ont une maison de campagne à l'île de Ré.

– Est-ce que vous savez qui est lynx92 ?

Max Sacco réfléchit quelques instants avant de proposer :

– Ce n'est pas un magasin de lunettes ?

– Non, pas vraiment… Et monsieur Bousquet, quand il vous a réveillé, il vous a dit autre chose ? Comment était-il au téléphone ? Calme ou énervé ?

– J'étais un peu endormi, je ne me souviens pas. Il m'a dit simplement que des gens viendraient sans doute me poser des questions, que je devrais dire que je ne savais rien et que les caméras ne fonctionnaient pas. C'est tout…

– Et vous n'avez pas trouvé ça bizarre ?

– Pas tout de suite. Quand j'ai trouvé le cadavre dans la cour, je me suis posé des questions… Mais monsieur Bousquet est quelqu'un de bien et de gentil. Il est honnête. Il est avocat[66].

Oscar Tenon sourit quelques instants avant de répondre :

– Si tous les avocats étaient honnêtes, il n'y aurait pas autant de gens en prison !

14 h 36

C'est l'heure de la sieste. Oscar Tenon est installé dans un sofa chez Asafar Boulifa mais il ne dort pas. Il est très excité par ce qu'a trouvé son ami informaticien. lynx92 n'est plus un inconnu.

– Voici ton cadeau d'anniversaire, déclare Asafar. Mon ami de l'HADOPI m'a donné le nom de l'adresse IP qui envoie les mails de lynx92. Et ce n'est pas une surprise !

---

66. avocat (n.m.) : *une personne qui conseille et défend ses clients devant la justice.*

– Je pense savoir qui c'est, oui. Ce n'est pas monsieur ou madame Cazelles ?

– Bravo, Oscar ! Il s'agit de Michel Cazelles. Cela m'a quand même coûté 500 euros !

– Ce n'est pas très correct de donner le prix d'un cadeau, l'interrompt le flic.

– Tu es trop fort, tu vas trop vite dans ton enquête !

La petite visite dans l'immeuble de ce matin a été très positive. Le lieutenant Tenon sait maintenant que le trio Bousquet-Cazelles-Cadeaux est sans aucun doute responsable de la mort de Samuel Lopez. Mais que s'est-il passé exactement ? Dans un grand geste théâtral, Asafar Boulifa montre sa clé USB à son ami et il commence ses explications :

– Il y avait des choses très intéressantes sur l'ordinateur de monsieur et madame Cazelles. Les trois caméras de surveillance fonctionnent bien. Elles sont connectées en réseau et les images sont enregistrées sur leur ordinateur dans le dossier « *Vidéo* ». Il n'y a que des images, pas de son.

– C'est déjà bien !

– Oui, mais comme nous avons volé les fichiers sur l'ordinateur, tu ne pourras pas les présenter comme des preuves devant un juge, Oscar.

— Ce n'est pas un problème ! Si les Cazelles sont coupables, nous organiserons une perquisition[67] et nous saisirons[68] l'ordinateur, comme si nous n'avions jamais vu les images des caméras.

— Parfait, parce que tu as des preuves sur ces fichiers vidéo. J'ai regardé les enregistrements entre vingt heures et minuit le soir de la mort de Samuel Lopez.

— Tu es un vrai flic !

Asafar Boulifa sourit mais ne répond rien. Concentré, il poursuit :

— À 20 h 16 précisément, la caméra du hall montre deux types qui entrent dans l'immeuble. Ils sont habillés tout en noir avec des bonnets noirs et des lunettes de soleil. Ils ont des sacs à dos noirs. Et devine ce qu'ils ont dans les mains ?

— Des barres de fer ou des battes de base-ball ?

— C'est moi qui avais raison. Ils ont des battes de base-ball.

— Bravo, Asafar ! On peut reconnaître leurs visages ?

— Non, ils ont des bonnets et des lunettes de soleil, mais un des deux est très grand. Ce qui est intéressant, c'est qu'on les voit sortir à 23 h 07. Et

---

67. perquisition (n.f.) : *ici, recherche d'indices chez les Cazelles.*
68. saisir (v.) : *prendre de façon officielle.*

ils n'ont pas l'air cool. Ils sortent en courant… Je t'ai fait des captures d'écran. Viens voir !

Oscar Tenon se lève et s'approche des ordinateurs. Tout ce que vient de dire Asafar Boulifa s'affiche sur un grand écran. On voit bien deux silhouettes noires. Asafar ne s'arrête plus :

– La caméra de la cour, elle, ne montre rien. Elle n'était sans doute pas bien orientée. La caméra du cinquième étage montre à peu près la même chose que celle du hall. On voit les deux hommes monter sur le toit et descendre aux mêmes heures. Et on les voit ouvrir la petite porte avec une clé. Et on les voit de plus près qu'avec la caméra du hall. Si tu les arrêtes, tu pourras sans doute vérifier que ce sont bien eux.

– Qu'est-ce que je ferais sans toi, Asafar ?

– Rien, je pense…

Troisième jour

15 août 2018, 9 h 37, Malakoff, près de Paris

Le lieutenant Oscar Tenon n'a pas bien dormi pendant la nuit. Dans son lit, il a beaucoup réfléchi. Il est très pressé de rencontrer messieurs Bousquet et Cazelles. Il ne pense pas que mesdames Bousquet et Cazelles soient les deux personnes sur les enregistrements vidéo. La violence est très souvent une spécialité masculine.

Après les cambriolages dans leurs appartements, les deux hommes ont-ils décidé de s'attaquer aux voleurs ? Alors, le soir du premier match de championnat du PSG, ils ont sorti « l'arme nucléaire », des battes de base-ball… Ils attendaient les voleurs sur le toit, en mangeant tranquillement du pain et du fromage.

Le lieutenant Tenon a besoin de parler à son chef, le commissaire Brochant. Le jeune flic n'a pas de téléphone portable mais chez lui, il a un vieux téléphone en bakélite[69] des années 70.

Le commissaire Brochant répond sur son smartphone :

– J'attendais votre appel, Tenon. J'espère que vous avez de bonnes nouvelles.

– Absolument !!! Nous avons bien avancé.

– Pourquoi dites-vous « nous » alors que tout le monde sait que vous n'êtes pas capable de travailler avec vos collègues ?

Personne à la brigade criminelle ne connaît Asafar Boulifa et son importance dans les enquêtes du lieutenant Tenon. Oscar est en colère contre lui-même. Pourquoi a-t-il employé le pronom « nous » ?

– Nous sommes une grande famille à la brigade criminelle, affirme-t-il.

– Arrêtez vos plaisanteries[70] ! Qu'avez-vous trouvé ? Avec un supporter mort et un autre dans le coma, le préfet de police attend des résultats.

– Les deux supporters ne sont jamais allés voir le match au Parc des Princes. Ce ne sont pas des supporters. C'étaient surtout des voleurs qui

---

69. bakélite (n.f.) : *matière plastique.*
70. Arrêtez vos plaisanteries ! : *Restez sérieux !*

cambriolaient des appartements autour du stade les soirs de match. Je ne sais pas ce qui est arrivé à celui dans le coma. Par contre, je suis sûr que Samuel Lopez a été assassiné. Je soupçonne deux habitants de l'immeuble de l'avoir surpris sur le toit et de l'avoir poussé.

– Vous avez des preuves ? Vous allez bientôt arrêter les coupables ?

Oscar Tenon est un peu mal à l'aise. Les preuves d'Asafar Boulifa ne sont pas vraiment des preuves… Il faudra attendre de faire une perquisition officielle.

– Je dois interroger un des deux suspects aujourd'hui. Il rentre de vacances de l'île de Ré aujourd'hui. Le deuxième suspect arrive à Paris demain. Nous devons être discrets.

– Je ne comprends pas. Les deux hommes n'étaient pas à Paris…

– Je pense qu'ils étaient à Paris le soir du meurtre mais qu'ils sont partis après pour faire croire qu'ils étaient en vacances.

– Vous êtes sûr de votre théorie, Tenon ?

– Oui, chef. J'ai encore deux ou trois éléments à vérifier mais dans deux jours, les coupables dormiront en prison…

– Je vous fais confiance…

– Vous avez raison de me faire confiance, chef. Mais j'ai besoin d'aide pour arrêter les deux habitants de l'immeuble aujourd'hui. Pouvez-vous envoyer deux collègues avec une voiture banalisée[71] pour surveiller l'immeuble ? Moi, j'attendrai notre premier coupable chez le gardien, au rez-de-chaussée de l'immeuble.

11 h 47

Le lieutenant Oscar Tenon a acheté une baguette de pain et des petits gâteaux aux fruits. Il tape sur la fenêtre du studio du gardien, Max Sacco. Le vieil homme ouvre après quelques secondes. Il a l'air plus en forme qu'hier.

– Bonjour monsieur, dit Oscar Tenon d'une voix gaie. J'ai encore besoin de vous. Je suis venu attendre l'arrivée de monsieur et madame Cazelles chez vous. C'est l'heure de déjeuner. J'espère que vous cuisinez bien. Moi, je ne sais pas cuisiner. J'ai donc apporté une baguette et de bons gâteaux aux fruits pour le dessert.

---

71. voiture banalisée (n.f.) : *voiture normale qui ne ressemble pas à une voiture de police.*

– Mmmmh.

Le gardien n'est pas très accueillant alors Oscar Tenon continue :

– Vous n'avez plus mal à la tête ?

– Non, non…

– Vous savez, je mange un peu de tout. Je ne suis pas difficile.

– Je peux préparer des pâtes et un steak haché…

– Ce sera parfait.

– Vous savez à quelle heure monsieur et madame Cazelles doivent arriver ?

– Dans l'après-midi, je crois. Ils ont prévenu leur femme de ménage qui m'a ensuite prévenu.

– Parfait, nous allons donc les attendre ensemble.

Avant de rentrer chez le gardien, le lieutenant Tenon fait un petit signe de la main à ses deux collègues policiers qui viennent d'arriver dans une voiture banalisée grise. Ils stationnent leur Peugeot 308 devant l'immeuble.

Oscar Tenon dit au gardien :

– Vous pouvez commencer à cuisiner, j'ai deux ou trois choses à dire à mes collègues dans la rue. Mais je ne vais pas les inviter à manger chez vous, rassurez-vous. Pouvez-vous me donner le code de l'immeuble, ça m'évitera de taper sur votre fenêtre.

– 251157.

– C'est étrange, c'est la date de naissance de ma mère. C'est vous qui avez choisi ce code ?

– Non, je ne sais pas qui l'a choisi. Nous avons le même code depuis des années, répond Max Sacco.

– Ce n'est pas très prudent ! Il faut le changer régulièrement.

– Mmmh. À chaque fois, les cambrioleurs sont passés par le toit.

– La première fois que vous avez parlé des vols dans l'immeuble, vous auriez pu me dire que les cambrioleurs étaient passés par les toits. J'aurais gagné du temps !!!

Le gardien ne répond rien et rentre chez lui pour préparer les pâtes et le steak haché.

Le repas ne va sans doute pas être très joyeux entre les deux hommes.

15 h 52

Effectivement, le repas n'a pas été très joyeux. Oscar Tenon et Max Sacco n'ont pas beaucoup parlé. Heureusement, les gâteaux aux fruits étaient délicieux.

Le repas terminé, Oscar Tenon a fait la vaisselle et ensuite, il s'est assis dans un fauteuil et a fermé les yeux pour se reposer.

Soudain, un taxi s'arrête devant l'immeuble. Oscar Tenon est à moitié endormi lorsque Max Sacco lui tape sur l'épaule pour le réveiller.

– Monsieur et madame Cazelles sont arrivés, annonce le gardien.

Le lieutenant Tenon se lève très vite. Il pense au danger, Michel Cazelles est peut-être un assassin mais Oscar n'est pas armé. Il n'est pas un cow-boy avec un revolver sur la jambe. Il ne s'entraîne jamais au stand de tir. En revanche, ses deux collègues dans la voiture, les brigadiers Christophe et Vincent, sont armés. Le gardien lui dit en souriant :

– Ce n'est pas la peine de vous presser, les Cazelles vont venir me dire bonjour. Quand ils rentrent de vacances, ils passent me voir. Je garde leur courrier, ça évite que leur boîte aux lettres soit pleine.

Le jeune flic s'approche de la fenêtre. Il voit le chauffeur de taxi en train de sortir les bagages des Cazelles de la voiture. Et soudain, Oscar Tenon devient tout rouge. Il s'arrête de respirer quelques secondes. Il n'avait pas prévu cela.

Il se tourne et s'approche du gardien avec un regard méchant :

– Vous auriez pu me prévenir ! crie-t-il.

Le gardien se recule. Il a peur que le flic lui saute dessus.

– Mais de quoi ?…

– … Que Michel Cazelles a plus de soixante-dix ans et qu'il marche avec une canne[72] !

– Mais vous ne m'avez rien demandé !

– Et pourquoi marche-t-il avec une canne ?

– Je ne sais pas ! Je ne fais pas partie de sa famille ! répond le gardien tout aussi énervé que le flic. Il habite dans l'immeuble depuis plus de dix ans, il a toujours marché avec une canne.

Le lieutenant Tenon retourne à la fenêtre pour observer monsieur et madame Cazelles.

Michel Cazelles est un petit homme sans cheveux. Il ne peut pas être l'un des deux hommes enregistrés par les caméras le soir de la mort de Samuel Lopez. Trop vieux, trop petit, pas assez en forme pour courir et se battre avec des voleurs, pas agile comme un singe pour monter sur les toits. Il est en train de payer le taxi avec sa carte de crédit. Sa femme est plus grande que lui d'environ dix

---

72. canne (n.f.) : *bâton qui aide une personne blessée ou âgée à marcher.*

centimètres. Elle semble nettement plus jeune que lui. Et si c'était elle qu'on voit sur les enregistrements des caméras…

Le lieutenant Tenon ne peut pas faire de signe à ses collègues dans la voiture sans être vu par les Cazelles. Il ne pense pas qu'il y aura de problème. Il attend donc qu'ils sonnent à la porte du gardien pour prendre leur courrier.

Deux minutes plus tard, Max Sacco ouvre sa porte. Les Cazelles semblent surpris de voir un inconnu avec leur gardien. Le lieutenant en profite pour sortir sa carte de police et dire de façon très professionnelle :

– Madame, monsieur, je suis Oscar Tenon, lieutenant à la brigade criminelle. Je pense que vous savez pourquoi je suis ici…

Grand silence. Ni monsieur ni madame n'ouvre la bouche. Et Max Sacco regarde ses pieds… Le flic poursuit donc :

– C'est un retour de vacances pas très agréable mais il y a deux jours, dans votre immeuble, un homme est mort. Je pense que vous savez pourquoi. J'ai besoin de vous interroger. Monsieur Sacco va garder vos bagages. Je vous demande de me suivre dans nos bureaux de la brigade criminelle. Des collègues attendent dans une voiture devant…

Oscar Tenon n'a pas le temps de finir sa phrase. Madame Cazelles hurle d'une voix aiguë :

– Nous étions à cinq cents kilomètres de Paris !!! Nous ne savons rien ! Laissez-nous rentrer chez nous !!!

– Je ne crois pas. Vous allez me suivre sans faire de problèmes, répond Oscar Tenon.

– C'est vous qui allez avoir des problèmes, crie monsieur Cazelles.

Et avec violence le vieil homme essaie d'attraper le flic par le cou. Dans un réflexe, Oscar se recule et c'est Max Sacco que monsieur Cazelles frappe. Le gardien tombe par terre dans un grand bruit. Tout le monde est surpris. Tout le monde se regarde, puis madame Cazelles s'avance vers le gardien :

– Pauvre monsieur Sacco !

À ce moment-là, les deux collègues d'Oscar Tenon, alertés par le bruit, essaient d'entrer dans l'immeuble mais ils n'ont pas le code d'accès. L'un des deux flics décide alors de casser la vitre de la porte avec son revolver.

Pendant ce temps-là, la caméra sur le plafond enregistre tout ce qui se passe…

16 h 24

Les brigadiers Christophe et Vincent ont réussi à calmer monsieur et madame Cazelles. Les deux époux ont des menottes[73] aux poignets et ils ne bougent plus. Ils sont installés à l'arrière de la voiture de police. Ils ne sont pas montés dans leur appartement. Leurs bagages sont chez le gardien. Max Sacco balaie les morceaux de verre de la porte.

Oscar Tenon dit à ses collègues :

– Emmenez ces deux sauvages à la brigade. Je vous suis avec ma mobylette.

À ce moment-là, un jeune homme à la longue barbe noire arrive dans la rue. Le lieutenant reconnaît Jérémie Cadeaux, le jeune homme du troisième étage menacé par mail par lynx92, alias Michel Cazelles.

Oscar Tenon fait signe à Jérémie Cadeaux de venir. Le jeune homme hésite. Il ne comprend pas très bien ce qui se passe. Il reconnaît les Cazelles dans la voiture mais il ne peut pas voir les menottes à leurs poignets.

---

73. menotte (n.f.) : *deux bracelets en métal mis aux prisonniers pour les empêcher de bouger leurs mains.*

— Bonjour, monsieur Cadeaux. Venez, j'ai une petite surprise pour vous ! dit Oscar avec un grand sourire.

— Bonjour, je suis un peu pressé. De quoi s'agit-il ? demande le jeune homme inquiet.

— Eh bien, je voulais vous présenter lynx92. C'est la personne qui vous envoie des messages un peu étranges. Mais j'imagine que vous savez pourquoi…

— Je ne comprends pas…

— Je suis certain que vous comprenez de quoi je suis en train de parler. C'est pourquoi je souhaiterais vous interroger un peu plus longuement. Avec monsieur et madame Cazelles, nous partons à la brigade criminelle. Il y a encore une place dans la voiture de mes collègues. Vous allez vous serrer un peu…

Cette fois, pas de violence. Inutile de mettre des menottes à Jérémie Cadeaux qui s'installe sagement à côté de Michel Cazelles à l'arrière de la voiture. Les deux hommes ne se regardent pas. Les deux hommes ne se parlent pas.

Quatrième jour

16 août 2018, 5 h 34, Paris

L'Hôpital européen, pas loin du Parc des Princes, est le plus récent des hôpitaux parisiens. Il porte aussi le nom d'un ancien président français, Georges Pompidou. Ultramoderne, il a ouvert en 2001.

Nathan Villers ouvre les yeux difficilement dans une salle de soins intensifs. Il se réveille enfin. Il est resté un peu plus de trois jours dans le coma. Il souffre d'un traumatisme crânien[74] et d'une fracture du bras. Il a reçu beaucoup de coups mais

---

74. traumatisme crânien (n.m.) : *choc sur la tête.*

ce ne sont que des blessures légères. Beaucoup de parties de son corps sont rouges, vertes ou bleues.

Une infirmière et un médecin sont à côté de son lit. Nathan Villers les observe sans bouger.

– Monsieur, vous avez eu un accident. Vous êtes à l'hôpital, nous nous occupons de vous. Est-ce que vous me comprenez ? demande le médecin. N'essayez pas de parler. Si vous me comprenez, fermez et ouvrez les yeux plusieurs fois.

Nathan Villers ouvre et ferme les yeux plusieurs fois… Et il fait mieux que ça :

– Na… than. Nathan. Je… suis… Nathan.

L'infirmière lui fait un signe de la main pour qu'il arrête de parler. Mais le jeune homme insiste.

– Je m'appelle Nathan Villers.

Son cerveau semble fonctionner correctement…

8 h 12

Oscar Tenon est resté toute la nuit dans les bureaux de la brigade criminelle, porte de Clichy, au nord de Paris. Il n'a pas dormi et a bu beaucoup de café. Il a interrogé Michel Cazelles et sa femme,

Évelyne. Les deux époux n'ont rien dit ou presque. Leur avocat est arrivé et leur a conseillé de ne pas parler.

Le jeune flic appelle son patron, le commissaire Brochant :

— Bonjour patron, je ne vous réveille pas ?

— Non, je me lève tôt. Je ne suis pas très content de l'arrestation d'hier. Il y a eu des problèmes et nous allons devoir rembourser la porte d'entrée de l'immeuble ! Que s'est-il passé ?

— Rien de grave. Michel et Évelyne Cazelles ont résisté. Le mari était un peu violent. Mes collègues Christophe et Vincent m'ont aidé à calmer tout le monde.

— Vous n'êtes pas capable d'arrêter deux personnes âgées tout seul ?

— La force ou l'intelligence ? Avec ma taille et mes muscles, je n'ai pas le choix. J'ai choisi l'intelligence.

— Ne faites pas d'humour, Tenon ! Ces Cazelles ont-ils avoué ? Ils ont dit des choses intéressantes ?

— Pas vraiment. Ils m'ont répété toute la nuit qu'ils étaient à l'île de Ré en vacances et qu'ils avaient un alibi. Nous allons vérifier. Il nous manque surtout le personnage central de cette affaire, Jean-Pierre Bousquet, un habitant de l'immeuble qui a été cambriolé. Je pense que c'est une affaire d'auto-défense.

– Donc, vous n'avez pas encore résolu cette affaire ? demande le commissaire, de mauvaise humeur.

– Nous avançons, patron. Nous avons aussi arrêté un jeune homme qui habite l'immeuble. Et ce Jérémie Cadeaux a avoué. Il travaille dans une entreprise de sécurité. Il a présenté deux collègues à Jean-Pierre Bousquet et Michel Cazelles. Ce sont des vigiles[75] grands et musclés, d'anciens militaires. Ce sont eux qui étaient sur le toit le soir du match avec des battes de base-ball. Ils s'appellent Jean-Paul Robert et Sylvain Ficelle. Ils devaient surveiller l'immeuble et empêcher les cambriolages.

– Et que s'est-il passé ?

– Jérémie Cadeaux ne sait pas. Il jure qu'il était dans son appartement et qu'il n'est jamais monté sur le toit. Il a vu le corps de Samuel Lopez dans la cour mais il n'a rien fait. Il avait peur et il a été menacé par Michel Cazelles et Jean-Pierre Bousquet. Il nous a montré sa messagerie Internet. Michel Cazelles lui a envoyé un mail le matin où on a découvert le corps de Samuel Lopez. Le message

---

75. vigile (n.m.) : *personne qui s'occupe de la sécurité, qui surveille.*

est clair. Il lui donne l'ordre de ne pas dire ce qu'il sait à la police.

– J'ai un peu de mal à comprendre cette histoire…

– Je pense que les deux hommes sur le toit se sont battus avec Samuel Lopez et Nathan Villers, deux voleurs multirécidivistes[76]. Villers a réussi à s'échapper mais pas Samuel Lopez. Et en quittant l'immeuble, Nathan Villers a été agressé par des supporters opposés au PSG qui sortaient du Parc des Princes.

– Il faut donc arrêter Jean-Pierre Bousquet et les deux anciens militaires ! Savez-vous où ils sont actuellement ?

– Bousquet est dans un avion, de retour des États-Unis. Nous allons l'attendre à l'aéroport. Avec les brigadiers Christophe et Vincent, nous cherchons encore Sylvain Ficelle et Jean-Paul Robert. J'espère que nous les arrêterons dans la journée. Vous pouvez me faire confiance.

– J'espère bien.

Et le commissaire raccroche brusquement.

Oscar Tenon n'a pas tout dit à son chef. Il ne lui a pas parlé des échanges de mails entre Jérémie

---

76. multirécidiviste (adj.) : *personne condamnée plusieurs fois par la justice.*

Cadeaux et les deux anciens militaires, Sylvain Ficelle et Jean-Paul Robert.

Quand Asafar Boulifa avait piraté la boîte mail de Jérémie Cadeaux, il n'avait pas fait attention à ces messages. Il pensait que c'étaient des messages professionnels sans importance. En fait, ils représentent la preuve que Sylvain Ficelle et Jean-Paul Robert ont bien été recrutés par les habitants de l'immeuble.

Cette nuit, quand Jérémie Cadeaux lui a montré sa boîte mail, Oscar Tenon s'est dit : *Asafar n'est pas un flic. Il a raté un élément essentiel. Je ne peux pas lui faire de reproche. J'aurais dû lire moi-même tous les mails des habitants de l'immeuble.*

Mais l'affaire a bien avancé dans la nuit. L'erreur d'Asafar Boulifa a juste fait perdre quelques heures à son ami Oscar Tenon. Jérémie Cadeaux, Michel Cazelles et Jean-Pierre Bousquet seront accusés de complicité[77] de meurtre. Mais qui a tapé sur les mains de Samuel Lopez quand il se retenait à la gouttière pour ne pas tomber ? Sylvain Ficelle ou Jean-Paul Robert ?

Il faut maintenant retrouver ces deux hommes dangereux. L'un des deux est un meurtrier.

---

77. complicité (n.f.) : *ici, aider plusieurs personnes à commettre un crime.*

17 h 30

Jean-Pierre Bousquet et sa femme ont visité les grands parcs de l'Ouest américain pendant trois semaines : Death Valley, Yosemite, Monument Valley… Leur avion atterrit à l'aéroport de Paris-Charles de Gaulle. Il arrive de Los Angeles. Le lieutenant Oscar Tenon a été prévenu par le gardien Max Sacco. Il attend le suspect et sa femme à la douane.

Jean-Pierre Bousquet est un très bel homme de quarante-cinq ans, blond et bien bronzé. Il est beaucoup plus grand que tous les voyageurs qui font la queue pour présenter leur passeport à la douane. Sa femme Geneviève, plus petite que lui, a de magnifiques yeux bleus et le même bronzage. Un très beau couple mais Oscar Tenon n'a pas de photo d'eux. Il ne peut pas les reconnaître dans cette foule de voyageurs. Les douaniers[78] doivent donc vérifier tous les passeports et prévenir Oscar Tenon lorsque les Bousquet se présenteront.

L'attente n'est pas très longue. Un douanier demande aux deux voyageurs inquiets de les suivre.

---

78. douanier (n.m.) : *ici, personne qui contrôle les passeports à la douane de l'aéroport.*

Jean-Pierre Bousquet parle fort :

– Mais que se passe-t-il ? Nos passeports sont en règle !

Le douanier répond d'une voix ferme :

– Ne vous inquiétez pas. C'est juste pour une vérification.

Les Bousquet, fatigués par une nuit dans l'avion et le décalage horaire, arrivent dans une petite pièce sans fenêtre où attend Oscar Tenon. Le lieutenant se lève à leur arrivée avec un petit sourire ironique.

– Les vacances sont terminées ! Bienvenue en France ! Nous savons tout ou presque. Vos voisins ont parlé. Nous n'attendons plus que votre confirmation.

Le bluff fonctionne souvent avec des gens ordinaires, pas avec des gangsters ou des voleurs professionnels. Et les Bousquet ne sont pas des voyous. Ce sont juste des gens ordinaires qui ont recruté de mauvaises personnes pour surveiller leur immeuble.

Jean-Pierre Bousquet regarde sa femme quelques secondes avant de parler :

– Que voulez-vous savoir ? demande-t-il d'une toute petite voix.

– TOUT, répond le lieutenant Tenon d'une grosse voix. Si vous avouez, les juges seront peut-être un peu moins durs avec vous.

Et Jean-Pierre Bousquet va confirmer les aveux de Jérémie Cadeaux. Ne supportant plus les cambriolages dans l'immeuble, il a bien recruté les deux vigiles présentés par le jeune Jérémie Cadeaux. Les deux hommes ont été payés 500 euros chacun. En tout 1 000 euros pour surveiller l'immeuble et tuer Samuel Lopez. Une expression française dit que « le crime ne paie pas »… ou presque.

20 h 38

Les visites aux malades s'arrêtent à vingt heures à l'Hôpital européen mais le lieutenant Tenon montre sa carte de police et insiste pour voir Nathan Villers. D'une marche quasi-militaire, une énergique infirmière l'emmène dans le service des soins intensifs.

– Je ne peux pas vous donner l'autorisation d'interroger monsieur Villers. Il faut demander au médecin de garde, dit l'infirmière.

Le médecin de garde est un jeune homme sympathique d'une trentaine d'années qui cache sa myopie[79] derrière de grosses lunettes.

– Monsieur Villers est sorti du coma tôt ce matin. Nous sommes très optimistes pour lui mais il est encore faible. Il parle plutôt bien, il ne souffre pas d'amnésie[80].

– Je peux donc le voir ? demande Oscar Tenon d'une voix impatiente. C'est important, il s'agit d'une enquête criminelle. Un de ses amis a été assassiné…

– Il est un peu tard. Je vais voir s'il dort. Attendez deux minutes.

En réalité, les deux minutes ne durent que 56 secondes qui paraissent interminables à Oscar Tenon.

Le médecin lui annonce alors :

– C'est OK, vous pouvez le voir mais vraiment pas longtemps. Pas plus de cinq minutes. Et évitez les émotions fortes ! Est-il au courant de la mort de son ami ?

– Je n'en suis pas certain mais je pense que oui…

---

79. myopie (n.f.) : *problème de vue.*
80. amnésie (n.f.) : *maladie qui empêche une personne de se souvenir.*

En entrant dans la chambre, le flic est surpris par la taille de Nathan Villers. Il ressemble à un enfant perdu dans un grand lit. Son bras est enfermé dans un gros plâtre[81]. Sa tête est entourée d'un impressionnant pansement, une sorte de gros bonnet de ski blanc.

Le jeune homme a de beaux yeux bleus qui fixent Oscar Tenon en train d'approcher du lit. Le lieutenant n'a que cinq minutes, il ne perd pas de temps :

— Bonsoir, je suis lieutenant à la brigade criminelle. Vous devinez pourquoi je suis là ?

Nathan Villers fait un signe de tête affirmatif. Oscar Tenon poursuit d'une douce voix, comme s'il avait peur d'abîmer le blessé :

— Je sais que vous êtes un voleur et ça ne m'intéresse pas. Ce que je veux savoir, c'est ce qui est arrivé à votre ami Samuel Lopez. Pouvez-vous m'aider ? Est-ce que vous vous souvenez de la soirée où vous étiez avec lui ?

— Oui, répond timidement Nathan Villers, mais je ne me souviens pas bien de ce qui m'est arrivé à moi.

— Vous vous souvenez donc être monté sur le toit d'un immeuble, près du Parc des Princes ?

---

81. plâtre (n.m.) : *ici, sert à immobiliser et à protéger un bras cassé.*

– Oui, oui… Deux types habillés tout en noir nous attendaient. Ils étaient cachés derrière une cheminée.

– Et que s'est-il exactement passé ?

– Nous sommes montés par les terrasses d'un immeuble voisin. Cet immeuble en brique nous intéressait car il y avait de très beaux appartements aux derniers étages. Nous y étions déjà allés.

– Plusieurs fois ? demande Oscar Tenon.

– Non, juste une fois. Et nous n'avions pas pu visiter tous les appartements. Nous voulions des ordinateurs portables, des tablettes, ça se vend très bien…

– Faites vite, les vols ne m'intéressent pas. Nous n'avons pas beaucoup de temps.

– Eh bien, les deux gars nous attendaient avec des battes de base-ball sur le toit. Il faisait noir. Nous ne les avons pas vus. Samuel était devant moi. Il a reçu un grand coup de batte dans les jambes. Et un des deux types a continué à lui taper dessus. J'ai reculé, j'ai eu peur.

– Et vous avez laissé votre ami tout seul face à ces deux hommes ?

– J'ai paniqué. Le deuxième mec s'est approché de moi avec sa batte mais il a failli tomber. J'ai réussi à me reculer et je suis parti le plus vite possible.

– Vous n'avez donc pas vu ce qui est arrivé à Samuel ?

– Si, j'ai entendu un grand bruit. Samuel a crié. Je me suis retourné. En fait, il est tombé et a glissé sur le toit. Il s'est accroché à la gouttière. Il était au-dessus du vide.

– Et vous n'avez rien fait pour le sauver ?

– Non, les deux mecs m'empêchaient. J'étais trop loin. Et le plus grand des deux a approché de Samuel. Son copain le retenait par le bras pour ne pas qu'il tombe. Et il a donné de grands coups de battes sur les mains de Samuel…

Le jeune homme s'arrête de parler. Il a les larmes aux yeux. Le médecin entre alors dans la chambre en disant :

– Les cinq minutes sont passées. Il faut partir, maintenant.

– Oui, oui, encore trente secondes. Vous avez vu votre ami tomber ?

– Oui, c'était horrible. Le grand n'arrêtait pas de taper sur les mains de Samuel. Il a fini par lâcher la gouttière. Je n'oublierai jamais le bruit quand il s'est écrasé sur le sol.

– Et vous, que vous est-il arrivé ?

– Je suis parti en courant sur les toits. J'ai failli tomber plusieurs fois. Un des deux types m'a poursuivi mais j'étais plus rapide que lui. J'ai réussi à descendre sur un autre immeuble. Et après, je me souviens de la foule près du stade… et puis plus rien, le grand blanc dans ma tête…

Épilogue

26 août 2018, Paris, 20 h 42

Ce soir, le championnat de France de football continue avec un nouveau match facile pour le Paris Saint-Germain. Des joueurs stars contre des joueurs anonymes : aucun suspense pour le résultat.

Le lieutenant Oscar Tenon est assis dans un confortable sofa chez son ami Asafar Boulifa. C'est l'heure de l'apéritif. Les deux amis vont regarder le match ensemble, même si Oscar n'est pas un fan de football. Asafar, lui, est un passionné. Il ne rate aucun match de l'équipe de France et du PSG.

Pour regarder les matchs, normalement, il faut se connecter sur une chaîne de télévision payante.

Pas question pour Asafar Boulifa ! L'informaticien connaît tous les sites de *streaming* qui proposent gratuitement les matchs de football du monde entier. Illégalement…

– Je suis flic, Asafar. Normalement, je devrais te dénoncer[82] à la police.

– OK, mais si tu regardes avec moi, tu es mon complice. Donc je ne te conseille pas de me dénoncer…

Le match commence dans quelques minutes. Oscar Tenon a le temps de donner à son ami les dernières informations sur l'affaire du supporter tué.

Depuis l'arrestation de Bousquet, Cazelles et Cadeaux, il y a dix jours, tous les policiers de France recherchent les deux hommes soupçonnés du meurtre de Samuel Lopez.

– Sylvain Ficelle et Jean-Paul Robert ont été arrêtés ce matin, déclare fièrement le lieutenant Tenon. Ce soir, ils dorment en prison.

– Comment les avez-vous trouvés ? demande Asafar.

– Oh, ils ne se cachaient pas très loin. Ils vivaient sous une tente, dans le camping du bois

---

82. dénoncer (v.) : *accuser une personne.*

de Boulogne, à moins de deux kilomètres de l'immeuble où ils ont tué Samuel Lopez.

– Je ne savais pas qu'il y avait un camping si près de Paris !

– Je ne savais pas non plus avant ce matin. L'endroit est sympathique, pas très loin de la Seine. Il y a des bungalows, des caravanes et des tentes. On se croirait au bord de la mer. Le marketing du camping est simple et efficace : *Venez découvrir Paris sans dépenser une fortune dans un hôtel.*

– C'est plutôt intelligent !

– Sylvain Ficelle et Jean-Paul Robert n'avaient plus d'argent. Une cavale[83] coûte très cher. Ils ne pouvaient pas partir à l'étranger et acheter de faux passeports. Ils avaient juste assez d'argent pour payer le camping.

– Et ils attendaient quoi dans leur tente ?

– Sans doute que nous venions les chercher… Les employés du camping ont appelé la police car les deux hommes avaient un comportement bizarre. Ils faisaient un peu peur à leurs voisins campeurs.

– Tu les as rencontrés ?

83. cavale (n.f.), (fam.) : *période où on est recherché par la police.*

— Oui, je suis allé au camping après leur arrestation. Ils sont assez impressionnants, surtout Sylvain Ficelle. Il mesure environ deux mètres. Selon Nathan Villers, c'est le plus grand des deux qui a tapé sur les mains de Samuel Lopez. C'est donc sans doute Ficelle le meurtrier. Jean-Paul Robert sera condamné pour complicité de meurtre.

— Combien vont-ils passer d'années en prison ? demande Asafar en même temps qu'il se connecte au site de *streaming*.

— Ficelle va sans doute être condamné à vingt ans de prison et Robert à une quinzaine d'années.

— Et les habitants de l'immeuble ?

— Ils ont recruté les deux hommes juste pour empêcher les vols, par pour tuer les voleurs. Techniquement, ils ne sont pas complices du meurtre. Ils ne sont d'ailleurs pas en prison.

— La prochaine fois, ils feront peut-être plus confiance à la police pour les protéger.

— Si leur immeuble a été cambriolé plusieurs fois, je comprends qu'ils s'énervent. Mais si tout le monde fait la police et la justice soi-même, on risque de finir dans l'anarchie.

— Et vous avez retrouvé les supporters du SRB, les agresseurs de Nathan Villers ?

– Pas encore, répond Oscar. Un supporter bleu et rouge ressemble à un autre supporter bleu et rouge, surtout la nuit. Et nous n'avons que des images en noir et blanc avec les caméras de surveillance. L'essentiel, c'est que Nathan Villers va mieux. Il est sorti de l'hôpital. Je pense qu'il ne se déguisera plus jamais en supporter.

Crédits

Édition : Alexandra Prodromides
Assistant d'édition : Julien Keurmeur
Mise en pages : Christelle Daubignard

Direction artistique : Vivan Mai
Principe de couverture : David Amiel et Vivan Mai
Maquette de couverture : Sylvain Collet
Crédits iconographiques de la couverture : Maurice Smith / Photononstop

Enregistrement, montage et mixage : Studio EURODVD

© Les Éditions Didier, Paris, 2020
ISBN 978-2-278-09575-9 – ISSN 2270-4388
Dépôt légal : 9575/01
Achevé d'imprimer en mars 2020 par Grafica Veneta (Italie)